我的第一本大中华寻宝漫画书

天津寻宝记

编创/孙家裕　编剧/邬城琪　漫画/欧昱荣

21 二十一世纪出版社
21st Century Publishing House
全国百佳出版社

百年天津，还看今朝

天津图书馆馆长　李培

　　位于九河下梢、渤海之滨的天津卫，曾被运河船民视为"天下第一码头"，仅凭这一美誉，遥想当年川流不息、车水马龙的景象，也足以令人心驰神往了。的确，天津的形成得益于海与河的慷慨赐予。历尽千年的冲刷与淤积，始有这片广袤而丰沃的天津平原，而黄河于殷周、隋唐、金元时期的三次改道彻底奠定了今时今日"河海要冲"的繁华景象。天子津渡之地，仿若大海与黄河携手创造的一个城市奇迹，六百年来熠熠生辉，光耀中华。

　　天津是北方的经济腹地，素来流传着"天津卫街上淌白银"的俗语，寓意只要来到天津，无论做什么样的买卖，总能赚个盆满钵满。不仅十八街麻花、盛锡福帽店、劝业场百货这些本地老字号的生意蒸蒸日上，连那些兴起于南方的品牌商号如亨得利钟表店、冠生园食品店等，在天津也是如鱼得水，发展得红红火火。短短数百年，天津由一个最初服务于漕运事业的中转码头，一跃成为北方最大的工商业与金融中心，其间经历的辛酸与艰难自不必说，但更多的是天津人民以汗水和泪水建设家乡的骄傲与满足。积极奋斗的工商业者，辛勤耕种的农家子弟，走街串巷的手工艺匠，跑船扛箱的船夫渔民……正是一代又一代天津人的努力，托举起了新天津的梦想，成就了"双港双城"的新格局。

天津又不似京城，无须以雍容高贵的皇家气势震慑四方，扑面而来的是更加平民化的气息，也多了一份亲切感。淳朴的民间手艺如杨柳青年画、泥人张彩塑、"刻砖刘"砖雕、魏记风筝和天津挂毯等，虽然都是些不起眼的小玩意儿，但乐观积极的天津人却把它们玩出了艺术感和生命力，甚至达到了闻名全国、远销海外的程度。城市建设方面，以海河为风景轴线的中心旅游区、繁荣金街、鼓楼商贸街、异国风情五大道，满是令人流连忘返的大好风光。另外，天津每年还会举办极具民俗特色的各种赛事及娱乐活动，不但彰显地方特色，还吸引着来自四面八方的客人。天津始终是热闹的、欢乐的、充满希望与惊喜的一座城市。

细细想来，天津之旅的确就是一场寻宝之旅，"我的第一本大中华寻宝漫画书"系列漫画切合了当下小读者最喜欢探险与寻宝情节这一实际，表达了主人公在游历与冒险中寻获宝物的那种期待又兴奋的心情，让人读来仿佛身临其境。阅罢《天津寻宝记》，天津的风物人情、名胜美景跃然纸上，栩栩如生，相信对于小读者来说，既能从中得到放松，又能在潜移默化中获取知识上的养分，不啻为一笔精神财富。

2012年9月15日

说好话，做好事。阿弥陀佛！

从北京搭乘城际高铁，一个小时左右就到了天津，便利的交通使得城市间的距离一下子变近了。下了火车，已近中午，二话不说，直奔闻名遐迩的狗不理包子，拍照之余，顺便大快朵颐！

拍完照，也填饱了肚子，工作、吃饭两不误。收好相机，拍拍肚皮，满足之余，准备向霍元甲故居出发了！原本以为就在离市区不远处，一问才知道在天津的郊区，距离市区非常远，而且交通不太方便，如果搭乘公交车，势必会耽误去石家大院拍照的行程，为了赶时间，只得包一辆出租车前往。出租车师傅知道我要抢时间拍照，便用最快的车速赶路。拍完霍元甲故居，我们立刻赶往石家大院，没想到还是晚了一步，石家大院已经结束参观，不卖门票了，幸好出租车师傅出面打招呼说好话，工作人员终于网开一面，让我进去拍照，才没有白跑一趟，真是有惊无险。

拍完石家大院已是傍晚时分，出租车师傅送我回市区找宾馆住宿，怎奈时运不济，找了几家宾馆都没能入住。由于包车时约定只要将我送回市区，师傅的工作就算结束了，没有义务带我到处找宾馆，我也不好意思一直麻烦他，于是跟他说我自己去找宾馆就好，没想到他坚持要把我安顿好才离开。萍水相逢，却如此盛情，对一个出门在外的游子来说这无疑是心头的一股暖流，让我感动不已！

第二天一早，出发去大悲院拍照，由于路程近，便拦了一辆改装三轮车前往。途中看到车里贴着一张A4大小的纸，上面写着释净空师父《太上感应篇》中的一段内容，标题是：为何见面互道阿弥陀佛？内容大致如下："阿弥陀佛"是古印度的梵语，是祝福对方长寿、光明、智慧的意思。这句话不但含意深远而且圆满，让每一个人都要放下私念，真心实意地对待所有人、事、物。这句"阿弥陀佛"，包含了世间所有的好话，说了"阿弥陀佛"一切都圆满了。

　　以前常听长辈教诲，做人要常说好话，做好事，这与"阿弥陀佛"的意思是一样的，只是说法不同罢了。人人都能如此，人与人的关系就和谐了，社会也就和谐了，推广到国与国的关系上，世界也就不会再有争端。但是如果心口不一，"阿弥陀佛"只是口号，徒具形式而已。所以文中要每一个人都要放下私念，真心实意地对待所有人、事、物。如果只说好话，却不做好事，也只是口惠而实不至，那是没有用的。因此心口合一，身体力行，是非常重要的。

　　看了车上贴的"阿弥陀佛"这番话语，又让我想起了那位好心的出租车师傅，他正是说好话、做好事，身体力行的最好例证。由于他的好话，让我得以顺利进入石家大院拍照；由于他做了好事，不怕麻烦，帮我找宾馆，省却我不少麻烦。科技让城市的距离变近了，而"阿弥陀佛"则让人的距离更近了。

2012年5月写于天津

目录

人物介绍

顶呱呱

身份：守护宝物的古代神兽。本来住在玉镯子里，后来镯子被米克等人不慎摔破，只好寄身在米克的项链玉坠里。除了主人米克和卡卡、果果、月半，其他人无法看到他。

个性：喜欢装神弄鬼，更喜欢装可爱，最怕人说自己"老"。

特长：能够感应宝物的方位。

缺点：遇到大量古董、文物时容易上火，一旦上火就会喷火。（主人米克经被喷得灰头土脸。）

武器：三昧真火。强度能控制自如，还可以锁定物体进行烧毁，不会波及其他物体，但无法烧伤人类。

月半

身份：自称"食神"。

个性：胆小怕事，食量惊人，贪吃懦弱的小胖子。

特长：知识宅男。

毛病：为了吃时常乱认亲戚，只要请他吃东西，就是让他叫祖宗都行。

口头禅：好饿啊！饿死我了！

秦博士

身份：知名考古博士（未婚）。

个性：脾气古怪。气极了会变成喷火恐龙，遇到帅哥会变成花痴。

特长：考古知识的万事通、卡卡的阿姨。

米克

身份：神兽顶呱呱的主人。朋友称他"板神"，不是滑板之神，是经常挨果果的平板电脑剋。

个性：爱耍嘴皮子，鬼点子特多。

特长：身手灵活，一块滑板玩得出神入化。

死对头：果果。（遇到危难时却很担心对方。）

口头禅：哎哟喂呀！

果果

身份：自称"板神"，因为平板电脑不离手。
个性：坚信一切都能以武力解决的暴力女。
口头禅：你找死！ 你死定了！
特长：平板电脑走天下。（电脑天才，利用平板电脑砸人，砸坏了无数台。）
死对头：米克。（是经常、主要、重点修理的对象。）
绝技：平板回旋斩。（就是将平板电脑当回旋镖使用。）

卡卡

身份：富家少爷。秦博士的外甥。自称"卡神"，因为有一堆信用卡。
个性：有洁癖，受不了一点脏。喜欢粘着米克、果果、月半，属于跟屁虫类型。喜欢威胁秦博士。
特长：什么优点都没有，就是有钱。

神秘大亨

不知姓名的大亨，身份成谜，住在城堡般的豪华洋房中，是秦博士的崇拜者。腰缠万贯，出手大方，喜欢粉色，最爱自家的宠物狗"小甜甜"。

强尼

来自美国的黑人，狄波拉的超级助手，身强力壮，弹跳力好，擅长飞刀。因为中文不好，说话时常夹带英语，让人一头雾水。

狄波拉

秦博士的大学同学，两个人的成绩都很优秀，所以两人一直水火不容，在任何方面都要一争高下。她在考古界也很有地位。

第一章

神秘的邀请

哪里去了？刚才明明还在这里的。

博士怎么了？

谁知道？我们玩我们的！

PA PO.

博士，你信箱里怎么有这么多信没拿啊？

咦，博士呢？

在……

你们太过分了！

博士今天好像特别不正常。

一定是这个月的研究预算又超支了！

信用卡账单！手机费账单！电费账单……

我就是不想面对这些账单，才故意不开信箱的！

现在怎么办？

看来只有我"卡神"出马了！

我是说这碗泡面该怎么办，到底该不该吃。

博士，这封信好像不是账单哦！

粉红色的？谁这么浪漫啊？！

会不会是情书啊？

15

阿姨！

博士好像晕过去了！

怎么办？

你是问现在能不能吃泡面吗？

我没这么冷血！我是担心博士啦！

快看看信上到底写了什么……

说错了，是北京、上海、天津和重庆啦！呵呵……

吃货！

直辖市又是什么啊？

直辖市是中央政府直接管辖的城市，这些城市在政治、经济、文化上往往占有重要的地位！

这么说来天津也是个很重要的城市咯？

那当然！你们知道"天津"这个名字的由来吗？

"天津"不是"每天都能吃得津津有味"的意思吗？我最最最羡慕天津人了！

真的是这样吗？！

我乱猜的啦！

你找死啊！

啊！

"天津"这个名字是明朝永乐皇帝朱棣御赐的，意思是天子过河的地方。

他过的是什么河？

京杭大运河。

我知道京杭大运河！这条河可有名了！它北起北京，南至杭州，是世界上工程最大、里程最长的一条人工运河！

辽宁

北京

河北

天津

渤海

山西

河北

山东

黄海

江苏

安徽

杭州

没错！京杭大运河和万里长城并称为中国古代的两项伟大工程！

上次在北京爬长城可刺激了！天津一定也很好玩！

那我们还等什么？说走就走！

可是博士昏倒了怎么去啊？

我在电视上看过，拿水泼昏倒的人，他就会醒过来！

我也看过，可以试试！

我去拿水！

不用这么麻烦啦，你手上不就有一碗吗！

啊！不可以！

近代中国看天津

天津，简称津，是中国近代工业的发源地，北方的经济中心，也是国际物流和航运中心。天津因漕运而兴起，"一日粮船到直沽，吴罌越布满街衢（qú）"，反映了漕运给天津带来的商业兴盛。

天津地处华北平原的东北部，东临渤海，北依燕山，地貌总轮廓为西北高而东南低，呈簸箕形向海河干流和渤海倾斜。

天津绝大部分是平原，又毗邻首都北京，距京城120千米，是拱卫京畿（jī）的门户，于1404年12月23日正式建立城市，是我国古代唯一有着准确建城时间记录的城市。

天津总面积约1.19万平方千米，海岸线长约153千米，全市人口约为1354万人。天津属于暖温带半湿润季风气候，四季分明。

天津有"月季之乡"的美称，市花是月季。月季绚丽多彩，馥郁芬芳，且四季常开，象征着天津人民孜孜不倦、乐观积极的生活态度。

▲ 天津市及周边地区示意图

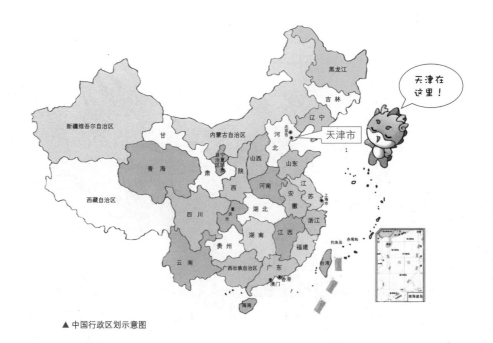

▲ 中国行政区划示意图

市　辖　区													县		
和平区	河东区	河西区	南开区	河北区	红桥区	滨海新区	东丽区	西青区	津南区	北辰区	武清区	宝坻区	蓟县	宁河县	静海县
13													3		

▲ 天津市行政区划表

"天津"市名的由来

　　明朝第一位皇帝朱元璋登基以后，将长子朱标册封为皇太子，其他儿子分封为王，驻守在全国各地。第四子朱棣被封为燕王，驻守北平（现在的北京）。然而朱标英年早逝，朱元璋又指定朱标的儿子朱允炆为新皇储，但是朱棣不服这个决定。朱元璋死后，朱棣起兵争夺皇位，发动了历史上著名的"靖难之役"。1399年，燕王朱棣率领大军南下，从三岔口渡河，袭取沧州，在1402年攻陷了当时的首都南京，登上皇位。

　　朱棣成为天子之后，认为征战时路过的三岔河口是一块风水宝地，便让众臣为之起名，最后从中选择了"天津"这个名字，意思就是天子渡津的地方，天津由此得名。

　　朱棣迁都北京之后，天津又成了京城门户，军事地位也显得重要起来。1404年，明朝正式在天津设卫（明朝的军事建制），因此天津又被称为"天津卫"。随后天津又开始筑城，天津的城市历史也就开始了。

▲ 天津的发祥地——三岔河口。位于三岔河口的永乐桥桥上的天津之眼，是世界上唯一一座建在桥上的摩天轮。

第二章

大亨登场

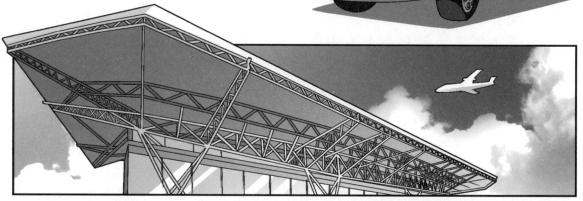

这里为什么叫做滨海国际机场啊？

因为它位于天津的滨海新区！

和上海的浦东新区一样吗？

以面积来说，滨海新区比上海浦东新区大上两倍！

滨海新区还拥有中国最大的人工海港天津港！它的港口吞吐量一直名列前茅。

河北省

滨海新区

渤海湾

吞吐量又是什么啊？

这个我知道！就是吃下去又吐出来的量嘛！笨！

好恶心！

被你这么一说，什么胃口都没了！

港口吞吐量指的是一年内经由水路进出港区范围并经过装卸的货物数量。

天津港2011年的港口吞吐量超过4.5亿吨！排名世界第四。

天津港这么厉害，一定是因为京杭大运河的关系吧？

那是老皇历了！京杭大运河的天津段老早就不通航了。

好啊！你竟敢骗我！

哪有！是你自己没问清楚就吵着要来的！

桥下的这条河叫作海河。它可以说是天津市的母亲河。

海河？到底是海还是河啊？

海河汇合了华北地区上游的五条河流，并穿过天津市中心，最后流入渤海，所以被称作海河。

你们在喝什么？

从冰箱里拿的饮料！

味道不错哦！

阿姨，你要不要来一杯？

小孩子不能喝酒！都给我！

这酒很名贵，不能倒掉哦。

这……

只好自己喝了！

怎么感觉天旋地转的？我要下车！

等等，我们马上……

……就到了。

不好意思，我帮你擦擦吧！

我自己来就好。

哇，真是一座豪宅啊！

好像到了欧洲！

请跟我来！

你们稍等片刻，大亨马上就来。

好惨!

博士算是跟门杠上了。

真是抱歉!

怪我太鲁莽了。

没事。

其实心里堵得很!

呵呵……反正也不是第一次这样了!

你应该是大亨的管家吧?

呵呵……我就是大亨。

啊?!

也差得太多了吧！

这大亨到底是男是女？怎么怪怪的？

可能是外星人吧。

你们一定累了！不如先去吃饭吧！

富豪准备的食物一定非常丰盛。

谢谢叔叔！

又来了！

主人，狄博士和她的助理到了！

请他们进来。

不许和他说话！

哎哟喂呀！

博士她怎么了？

不知道啊！感觉好像变了一个人！

一定是因为那个人没洗澡，身上黑漆漆的，所以博士不让你跟他说话。

不懂别装懂！黑人的肤色就是那样啦！

秦小玲，好久不见了！

狄波拉，好久不见了！

我妈跟我提过这个人！她是阿姨一生的敌人！

一生的敌人？

狄波拉是阿姨的大学同学，两个人的成绩都很优秀，在任何方面都要一争高下！

狄波拉非常狡猾，阿姨常常吃她的亏，所以阿姨一直跟她水火不容。

你怎么把她也找来了？

因为狄波拉在考古界也很有地位，所以……

哼！我们走！

嗒

嗒

嗒

你们先走，我吃完大餐就来。

走啦！没出息的东西！

可是……我还没吃大餐呀！

唉！真是个吃货。

天津的母亲河——海河

海河是中国华北地区最大的水系，中国七大河流之一。在金、元时期被称为直沽河、大沽河，"先有大直沽，后有天津卫"，体现了海河的悠久历史与重要地位。"海河"这个名字始见于明末时期。海河起自天津金钢桥，到大沽口入渤海湾，因此又称沽河。

▲ 海河上的海门大桥。建于1985年，是中国开启跨度最大的直升式开启公路桥。

海河水系由北运河、永定河、大清河、子牙河、南运河五大河流及300多条支流组成，以卫河为源，全长1090千米，其干流自金钢桥以下长73千米，河道狭窄多弯。天津位于海河流域的下游，地跨海河两岸。

海河开启桥

天津是个港口城市，海河贯穿其中，下游大型船只来往频繁，为了方便人们往来河的两岸，又要考虑船只在河上航行，于是将桥梁设计成活动的形式，即"开启桥"。

开启桥是指那些桥跨结构可以移动或转动的桥梁，其作用是方便高于桥梁高度的大型船舶通行。它一般采用钢结构，以此减轻开启结构的重量。常用的开启桥有三种：立转桥、升降桥、平转桥。海河开启桥就属于立转桥，它横跨在海河下游两岸，连接天津于家堡金融区和响螺湾商务区。

◀ 海河开启桥是目前世界上最大的立转式开启桥之一，也是亚洲同类桥梁中跨度最大的一座。

海河开启桥全长约 868 米，主桥设计为立转式的钢结构悬臂梁，大大提高了开启速度，完成一次开启闭合仅需三分多钟。

▲ 开启前　　　　　　　　　　　　▲ 开启后

中国最大的人工海港——天津港

　　天津港是中国北方最大的综合性港口，处于京津城市带和环渤海经济圈的交会点上，是首都北京的海上门户、我国北方重要的对外贸易口岸，也是连接东北亚与中西亚的纽带。目前，天津港与全球 180 多个国家和地区的 400 多个港口都有贸易伙伴关系，已形成了以集装箱、原油及其制品、矿石、煤炭为"四大支柱"，以钢材、粮食为"一群重点"的资源结构。

　　天津港拥有三条亚欧大陆桥过境通道，是我国大陆桥国际通道运输量最大的港口；已经建成的天津国际贸易与航运服务中心，是全国目前最大的"一站式"航运服务中心和电子口岸；内陆腹地设立的 21 个"无水港"，进一步完善了覆盖内陆腹地的物流网络体系。

哇！好大的港口！

◀ 天津港是我国最大的焦炭出口港，第二大铁矿石进口港，中国北方的集装箱干线港，并已跻身全国油品大港行列。

第三章

天津三宝

走了最好，一年的研究经费就归我了！

凭什么归你？

有本事你来抢啊！

两位姐妹！有话好说，不如你们两位来一场比赛吧！

比赛？

比什么？

明天之前，你们谁先拍到"天津三宝"的照片，我就赞助她一年的研究经费！

比就比！

谁怕谁！

记住！我要的是货真价实的"天津三宝"哦！

你干吗跟着我来鼓楼？

喊，谁不知道"天津三宝"是鼓楼、炮台、铃铛阁！

我先拍！

我先拍才对！

秦博士，你应该减肥了。

你说什么？！

你不说话，没人当你是哑巴！

哇啊！

吁！好险！

你们扶好，专心点！

搞定！强尼，我们走！

嘿嘿！有了！

妈妈！他们抢我的香蕉！

好吃，好吃！

往右一点，再往左一点……

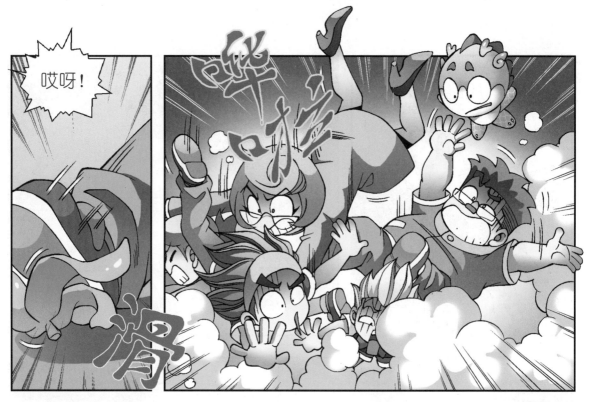

哎呀！

活该！

狄波拉！我这辈子都不会原谅你！

这个狄博士真是太坏了！

难怪她是博士一生的敌人！

月半，你知道这座鼓楼有多久的历史吗？

天津在明朝永乐年间开始设卫筑城，这鼓楼至少有600年历史了！

什么叫作"设卫"啊？

"卫"是卫所的意思，是明朝的一种军事建制！

当时的天津是防御重镇，设有天津卫、天津左卫、天津右卫。

听起来好像在踢足球嘛！

月半接着！

顶呱呱，你怎么了？

这里根本就没有600年的味道嘛！

哈哈……月半的谎话被揭穿了哦！

顶呱呱，你给我说说清楚！还我"宅男知识王"的声誉！

我只是实话实说啊！

别闹了！我们走！

来了！

月半，冷静点！我查到了，这座鼓楼是2001年重建的！

这不能怪我！人家要重建，我有什么办法？

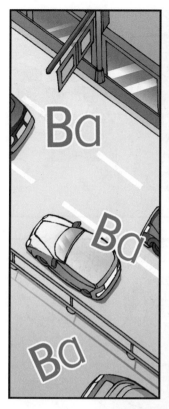

博士，没想到你还会开车啊！

开车没什么好佩服的，没有我的卡怎么租车？

臭美！

阿姨，我们现在要去哪啊？

大沽炮台！

笨蛋！"大沽"指的是大沽口，是明代和清代的海防要塞！

去找大姑泡茶啊？卡卡，你家亲戚还真多呢！

……

哦！

47

我想起来了！大沽炮台当年在抗击外国侵略者时发挥了重要的作用！

天津真是个军事城市啊！又是设卫，又有炮台！

你只说对了一半！

你干吗老是找我的碴？

都闭嘴！大家坐好！我要加速了！

博士怎么了？

应该是彻底没信心了！

阿姨，别灰心啦！

对啊，我们还没去铃铛阁呢！

你们太好了！

没到最后关头，不要轻言放弃啊！

博士，我们永远都支持你！

好，向铃铛阁前进！

别胡思乱想！铃铛阁藏的是佛经！

天津不是军事城市吗？藏佛经干什么？

所以之前我说你的话只对了一半。因为天津是距北京最近的大都市，清朝之后，逐渐从军事城市变成北方的金融中心和商业中心。

你们也是来找铃铛阁的吧？

是啊是啊！你知道在哪里吗？

真正的铃铛阁早在光绪十八年就被烧毁了！

学校里有重建的铃铛阁，你们想看看吗？

铃铛阁也是重建的？

记住！我要的是货真价实的"天津三宝"哦！不是真的我宁愿不要！

我明白了！

果果，快用电脑查一查。

6啊6，6啊6！

呵呵……什么都没拍到就回来了？

怎么还有心情玩飞行棋？

狄博士回来啦！辛苦了！

那还用说！当然比那些半途而废的人辛苦！

哎哟哟！姐妹们，你们回来啦！结果如何啊？

鼓楼、大沽炮台、铃铛阁，一个都不少！

秦博士，你呢？

大亨，这就是你要的照片！

55

哈哈哈……你是疯了还是傻了啊？

"天津三宝"中的鼓楼和铃铛阁，其实早就被拆除了！

现在我们看到的鼓楼和铃铛阁都是最近重建的！

那炮台呢？大沽炮台的炮总是货真价实的吧？

"天津三宝"中的炮台指的是明朝崇祯年间在天津城周围建造的七处炮台。

但这七处炮台因为《辛丑条约》的关系都已经被拆除了！

所以真相只有一个，货真价实的"天津三宝"是没办法拍到的！

精彩！太精彩了！秦博士不愧是考古界奇葩！

这张支票够你一年的研究经费了！

谢谢！

可恶！不能输给这家伙！强尼！动手！

通通不许动！把支票交出来！

放肆！老虎不发威，你当我是凯蒂猫啊？

大亨，只是开开玩笑，何必当真嘛！

天津的历史沿革

天津之所以能从最早的滨海荒滩，发展成如今的现代化大都市，最关键的自然历史条件有三个：一是作为"河海要冲"，交通十分便利；二是毗邻京畿重地，战略位置非常重要；三是盛产海盐，创造了大量财富。

▲ 隋唐大运河示意图

远古时代的天津地区

新石器时代，天津地区就有先民活动于此。1974年，在刘家码头村西南、靠子牙河北岸附近，距地表深5.6米的地层中，发现石斧2件，石磨棒1件。据专家考证，这些器物都是新石器时代的文化遗物，现存于天津市历史博物馆。

隋唐时期的天津发祥地

隋朝以洛阳为中心，开凿了通济渠，后又开凿了永济渠，北通涿郡（今北京），南至余杭（今杭州）。隋炀帝时，又开凿了京淮段至长江以南的运河，全长2400多千米。在南北运河的交汇处（今金钢桥三岔河口），史称"三会海口"的地方，便是天津最早的发祥地。

唐朝在芦台开辟了盐场，在宝坻设置了盐仓。天津地区因丰富的海盐资源，深受当时统治者的青睐。

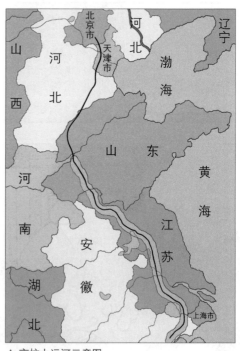

▲ 京杭大运河示意图

元代的漕粮运输枢纽

元朝初建时，由于战后资源匮乏，对于江南的粮食、税赋以及运河系统的依赖程度与日俱增。但是狭窄的内河难以满足当时的需要，于是改由海运代替河运，让运粮船队由江苏出海，经海路到达当时的直沽（位于天津地区），再沿着北运河继续北运或卸载在沿途的仓库中。直沽成为元朝的海运终点港，也是漕粮转运京师的中转码头。1316年天津地区被改名为海津镇，地位也提高了。

明清时期的中心城市

天津自从明代设卫筑城后，发展迅猛，盐业和漕运也让天津经济发展增速，人口快速增长。清初，天津已经成为区域性经济中心城市；清代中叶，天津的军事海防已经成为清王朝的存亡关键；特别是在开埠后，天津一跃成为北方军事、教育、金融中心以及最大的贸易口岸与外交窗口。1731年，天津从"直隶州"升为"天津府"，下辖一州六县，行政建制的连续提升也让它成为一个更为成熟和完善的中心城市。

近代史上的天津

清代中叶，基于天津特殊的地理位置，西方列强早已确定了由海路闯入天津、直逼北京的战略。1840年，第一次鸦片战争中，英国舰队借口递交照会（即外交往来的文书）而侵入天津大沽口，并封锁港口近40天，原本主战的道光帝迫于压力，允许中英通商并惩办林则徐，以求英舰撤至广州进行谈判，这就是有名的"白河投书"事件。

1856年，第二次鸦片战争中，英法联军占领广州后，联合美俄两国，任命专使北上天津，向清政府施加压力。1858年5月，英法联军占领大沽口炮台，派军舰驶入海河，抵达天津，6月与清政府签订了《天津条约》。两年后，英法联军占领天津，天津被辟为通商口岸。自此，天津成为列强开辟租界最多的城市，天津的五大道以及其他充满异国风情的建筑，就是当时历史的缩影。

第四章

绑匪的
奇怪要求

大亨，谢谢您的赞助！

呵呵……不客气。

哼！少在那里得意！

主人！不好啦！

什么事大呼小叫的？没看到我在送客吗？

小甜甜被绑架了！

啊！我的小甜甜！

怎么会这样？我苦命的小甜甜！呜呜……

小甜甜是谁啊？

就是大亨最爱的宠物狗！

不就是一只狗吗？用得着那么伤心吗？

你不懂，小甜甜就像大亨的亲生女儿一样！

主人，绑匪来电话了！

小甜甜，我来了！

嗒嗒

实在太过分了！

好好好！我一定照办！

大亨，绑匪怎么说？

绑匪说，只要我交出狗不理包子的制作配方，就放了小甜甜！

不就是个配方吗！我可以帮你弄到手！

提示：遭遇绑匪，请在第一时间报警。

真的吗？

不过你要答应我一个条件！

别以为就你弄得到！难道我就弄不到吗？！

别说一个，就是一万个条件我都答应！

一万个就算了，我只要你答应把赞助经费给我！

你早上刷牙了吗？靠这么近想臭死人吗？！

你……

别吵了！我看你们两个还是比一下吧！

比就比！又不是没赢过！

哼！上次你赢，还不是因为你们以多欺少！

66

你们看那个招牌，好有趣哦！

耳朵眼炸糕

狗不理......

耳朵眼炸糕？

又是耳朵又是眼的，好残忍啊！

耳朵眼炸糕可是和狗不理包子、十八街麻花一起并称为"天津小吃三绝"的呢！

这家店以前位于耳朵眼胡同的胡同口，所以大家都叫它耳朵眼炸糕！

原来如此。

那狗不理包子为什么要叫"狗不理"啊？

这个嘛……

这种高难度的问题就要问我了!

狗不理包子的创始人高贵友的乳名叫作狗子。因为他家的包子生意特别好,都忙得顾不上和客人说话。

所以客人都打趣说"狗子卖包子,不理人"。久而久之,大家就把狗子做的包子叫"狗不理包子"了。

原来如此,每个老字号的背后都有一段故事啊!

没错!所以你们不仅能吃到天津的美食,还能了解关于美食的故事!

所以本食神更要大吃特吃,把所有知识都吃进肚子里!

少找借口了!

根本就是个吃货!

你们看,是狄博士他们!

他们在饭店旁的巷子里做什么？

只要你帮我们拿到狗不理包子的制作配方，这些钱都是你的！

狗不理包子的制作配方是我们店的秘密，你给多少钱我都不会帮你！

你别敬酒不吃吃罚酒！强尼！

咔

我说，我说！制作配方在山东路老店！

强尼，我们走！

OK！

这里就是狗不理包子的老店了！

不知道狄博士他们来了没。

好饿啊！饿死我了！我要吃狗不理包子啦！

你忍一下啦！当务之急要先拿到配方！

小朋友们，要不要免费试吃我们新口味的狗不理包子啊？

要要要！来得正是时候！

我也有点……

我也是！

原来暴力女也会肚子疼啊！

说什么啊？我也是人生父母养的啊！

别吵了，对面有厕所！

太好了，正好四个！大家各就各位！

嘿嘿……强尼，快拿铁链把移动厕所捆住！

OK！

咔咔

咦，怎么出不去了？

77

天津美食

天津不但有极富地方色彩的传统美食"八大碗",更有琳琅满目的特色风味小吃。这些小吃大多以面粉为原料,主要分为油炸、煎烙、稀食和粘甜食四类,其中尤以号称"天津三绝"的狗不理包子、十八街麻花和耳朵眼炸糕最为出名。

煎饼馃(guǒ)子

"馃子"是一种油炸的面食。在煎饼(加鸡蛋)里裹上油条(就是馃子),再放点儿葱花抹点儿酱,"煎饼馃子"就做好了。煎饼馃子通常在早点摊才买得到,马路边或者社区里经常有制作和出售煎饼馃子的小推车,制作一份煎饼馃子只需要几分钟的时间,早上经常能见到人们排队买煎饼馃子的景象。

▲ 煎饼馃子是天津最出名的市民小吃,是天津人必不可少的早点之一。

▲ 狗不理包子经过不断的创新和改良,除了秉承传统的猪肉包、三鲜包、肉皮包,还有新创的海鲜包、野菜包、全蟹包等六大系列一百多个品种,被誉为"津门老字号,中华第一包"。

天津三绝
狗不理包子

狗不理包子是天津最为知名的传统小吃,始创于1858年。当时有个名叫高贵友的年轻人,乳名叫"狗子",开了一家卖包子的小店。他卖的包子不但馅料讲究,包子皮也薄厚均匀,而且每个包子都有固定的18个褶,褶花匀称。

蒸好的包子,大小一致,色白面柔,口感柔软,鲜香不腻,远近乡邻得知后都来购买,因此包子店生意非常兴旺。由于买包子的顾客太多了，高贵友忙得都没空说话，大家就戏称他"狗子卖包子，不理人"。久而久之，人们就叫他"狗不理"了，他做的包子也就称作"狗不理包子"。

十八街麻花

十八街麻花是天津最正宗的百年麻花老店，创始于清朝末年。当时有个叫刘老八的人在天津一条名为"十八街"的巷子里开了家"桂发祥"麻花铺，因此得名。

一开始，店里生意还不错，但没过多久，因为口味单一，顾客越来越少。刘老八正苦无对策时，店里有个小伙计凑巧把点心渣与麻花面和在一起，做成了麻花下锅炸。结果炸出的麻花比以前更酥脆可口。后来刘老八精心研究，终于做出了金黄油亮、香甜味美、久放不绵的什锦夹馅大麻花。

▲ 十八街麻花：夹着桃仁、青梅、桂花等小料配制的什锦馅酥条，再和麻条、白条拧成五个花，造型相当美观。

耳朵眼炸糕

耳朵眼炸糕起源于 1892 年，第一代掌柜刘万春在北门外大街设摊卖起了"刘记"炸糕。起初，每天的销量最多二三十斤。不久后，大家都觉得刘万春做的炸糕用料精细，外皮酥脆，馅料软黏细腻，香甜适口，于是买的人越来越多，每日销量达一百多公斤。

由于"刘记"炸糕店紧靠着一条窄胡同——耳朵眼胡同，人们就称"刘记"炸糕为"耳朵眼炸糕"。

▲ 由于"糕"与"高"字谐音，逢年过节或喜庆之时，人们为讨吉利，争相购买耳朵眼炸糕，彼此馈赠。

第五章
泥人张
的秘方

三昧真火！

铁链断了，可以出来了！

空气！我要新鲜空气！

脏死啦！我不要活了！

都是月半这个家伙出的馊主意！

你们身上是什么味道？

秦博士，看来你的孩子们还要穿尿不湿哦！

气死人了！平板回旋斩！

啊！

可是，那些坏人还要一样东西……

还没完没了啦？！

如果小甜甜回不来，我也不活了！

大亨，无论歹徒要什么，我一定帮你搞到手！

哼，就凭你？！

这次要找的熟泥，到底是什么啊？！

阿姨随随便便就答应人家，受苦的可是我们啊！

小鬼，要不要我带你们一程啊？

呵呵呵……可是你们根本不知道去哪里弄熟泥呢！

你少在那里假惺惺的！

谁不知道？找熟泥当然得去泥人张美术馆啊！

谢谢啦！强尼，我们去泥人张美术馆！

啊！

你没事要什么学问啊！

现在不是起内讧的时候，我们也赶紧出发吧！

叔叔，泥人张美术馆到了没啊？

快到了！你们是去那里买泥人吗？

不，我们去找熟泥！

你们怎么会知道熟泥的？这可是个秘密啊！

这个……我是泥人张的亲戚！我叫张米克！

幸会幸会！我从小就是泥人张的粉丝！

叔叔，开车注意安全呀！

"泥人张"之所以世界闻名，除了手艺出众之外，另一个重要原因就是用了熟泥！

叔叔，那我考考你，究竟什么是熟泥？

熟泥是取自天津西郊河道地下一米的红色纯净黏土。

经化浆、过滤、晾干，再加入棉花等辅料，反复捶、砸。然后放入地窖，经过三年窖藏之后方可使用。

怎么样？我说得没错吧！

完全正确！完全正确！

别一直聊天，影响开车！

叔叔，开快点！我们有急事！

好，好，别激动！

是只风筝耶！

这是魏记风筝，被它砸到也算是我的荣幸了。

好漂亮啊！

魏记风筝很有名吗？

魏记风筝已经有70多年的历史了！曾经在巴拿马世界博览会上拿过金奖呢！

既然这么厉害，这只风筝归我了！

砸到我的头，应该归我才对！

这下你满意了吧！

泥人张美术馆到了。

快进去看看!

哇,好多泥人啊!

你们看,这是寿星!真是栩栩如生啊!

关羽的泥人像好酷啊!

快看快看，这个泥人和真人几乎一模一样！

笨蛋！那个是真人啦！

你没事吧？

刚才进来两个人要买泥人，我转身给他们拿货，然后就什么都不知道了。

稍等一下，我马上捏给你们看。

他们长什么样？

这个……

就是这两个人！

果然是狄博士和强尼！

泥人张，你的手艺太神奇了！请收我做徒弟吧！

我也要学！

也收了我吧！

我不是泥人张，我是他的徒弟啦！

请问一下，你们储藏熟泥的地窖在哪里？

这是机密，我不能告诉你们。

还机密咧！那两个人早就把你的熟泥偷走了！

什么？！

天津的民间艺术

天津的民间艺术有杨柳青年画、魏记风筝、泥人张彩塑、刻砖刘等，充分展现了天津民间文化艺术的底蕴。

杨柳青年画

源于明朝的杨柳青木版年画，有着600多年的历史，与苏州桃花坞年画并称"南桃北柳"。

杨柳青年画的流行画样（又称粉本）约有数千种，继承了宋、元绘画的传统，结合了木版套印和手工彩绘的手法，制作出风格独特、活泼喜人的年画。明永乐年间，重新疏通了大运河之后，江南的精致纸张与水彩运到了杨柳青镇（今天津市西青区），使得这里的绘画艺术更上一层楼。清代中期是杨柳青年画的全盛期，杨柳青镇以及周边的村镇"家家会点染，户户善丹青"，成为声名远播的绘画之乡。

▲ 连年有余。制作过程：先用木版雕出画面线条，然后用墨印在上面，套过两三次单色版后，再以彩笔填绘。

魏记风筝

风筝是中国传统的民间手工艺品之一。天津的魏记风筝制作精良，且有很高的艺术价值。魏记风筝的创始人魏元泰生于清朝同治年间，他制作的风筝以毛竹为骨架、用绸绢做筝面，造型生动，色彩富有民族风味。

▲ 1915年，魏记风筝在首届巴拿马太平洋国际博览会上获得奖牌，从此成为国内外著名博物馆所青睐的珍贵藏品。

魏元泰从艺七十余年，先后研制了立体风筝和软翅风筝，还创造了折叠风筝，发展了许多风筝特技，如能频频眨眼的"活眼儿"、会在空中洒下纸片的"送饭儿"，让人拍案称奇，因而享有"风筝魏"的美誉。

泥人张彩塑

泥人张彩塑堪称天津一绝，兼具艺术内蕴和美学风貌。它的创始人张明山祖籍浙江绍兴，六岁随父亲到天津，八岁学艺，十八岁成名，人称"泥人张"。他的作品题材以肖像、历史人物、文学人物及仕女为主。作品现藏于北京故宫博物院、颐和园、天津博物馆、泥人张美术馆等地。

张明山师从父亲，从小练就了一手泥塑绝艺。他只需和人对面而坐，谈笑间就能完成对方的塑像。张明山的技法严谨流畅，富于变化，捏出来的泥人不燥不裂，能存放很长时间。

▲ 张明山（1826—1906），民间艺术家，名长林。

▲ 泥人张彩塑形象栩栩如生，形神兼备，饰以色彩和道具之后，陈列在室内的案头架上，意趣盎然，满室生辉，所以又有"架上雕塑"的美誉。

刻砖刘

旧时人们常以砖雕、木雕装饰民居，多在房檐、房山墙、门楣、板墙、屋脊、地砖、抱鼓石等处，装饰寓意深刻的吉祥图案，作为地位与财势的象征。砖刻也逐渐成为了一门传统技艺。"刻砖刘"原名刘凤鸣，他的外公马顺清是天津著名的刻砖艺人，在他们的努力下，天津砖刻发展成为建筑之外的民间艺术。刘凤鸣继承了马顺清首创的"堆贴法"，在砖面上分贴多块小砖，扩大了立体空间，使凹凸起伏更富变化，层次感更强。天津石家大院、广东会馆和大悲院都留存着"刻砖刘"的代表作品。

▲ "五福平安"图。取图中五只蝙蝠与花瓶的谐音，寓意吉祥如意。

第六章

拳谱迷踪

笑死人了！竟然输给几个小孩！

哼！

博士是不是太兴奋了？

是啊！是有点不正常。

你们两个！

我们没有说你坏话！

没有没有！

101

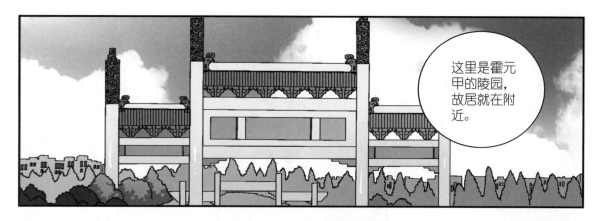

这里是霍元甲的陵园，故居就在附近。

你们看，牌坊上写着"尚武精神"四个大字！

这可是孙中山先生的题字呢！

霍元甲真牛啊！连国父都为他题字呢！

神精武尚

霍元甲到底是何方神圣啊？

怎么了？

怎么了？我一个女生不懂武术不是很正常吗？

哎哟喂呀！

啊！

呀！

不懂才怪！我看果果的功夫不亚于霍元甲。

月半，你说！霍元甲到底是何方神圣？

霍元甲不但是一代武学宗师，更是家喻户晓的民族英雄。

对，对！他还打败过好几个外国大力士呢！

还战胜过许多日本柔道和剑道高手！

我知道，他还打败了侵略地球的怪兽！

你说的是咸蛋超人吧！

搞错了，嘻嘻……

呼！哈！

迷踪拳谱应该就在那座房子里！

可是我们怎么避开这些武师呢？

有了！

用垃圾桶作掩护，他们一定不会注意！

嗯？

双目直视前方！不可以分心！

快走！

停！

哎哟！

提示：不可以偷偷摸摸地溜进别人家哦！

105

搞定！快到屋子里去！

这里没有！到里面看看！

霍元甲的遗像前有一个木盒！

这是我的！

狄博士！

哼！我们人多，你们抢不赢的！

是吗？

呼！

嗒
嗒

呼！

呼

我们也追上去！

嗒
嗒

嗒

咦，哪来的小鬼？！

妖女！快把拳谱还给我！

这样下去也不是办法！

要就拿去吧！

盒子在那个小孩手里！

追！

那些武师为什么只追米克啊？

因为拳谱在米克手上！

米克，快打开盒子看看！

狄博士会这么好心？

一定有问题！

果然是空的！中计了！

小鬼们，辛苦你们了！

抓住他！

啊！

平板回旋斩！

不错！确实是迷踪拳的拳谱！

当然了！这就叫作实力！

哼！

你们还好吧？

那本拳谱是假的！

什么？

大亨，你别听小鬼乱说！

111

小鬼，如果这拳谱是假的，那些武师为什么要追我？！

真正的迷踪拳谱已经遗失了，盒子里的拳谱是仿制品。

但是那个木盒是真的文物，他们追的是那个木盒！

追你？你不是说是花重金买来的，还要我报销吗？

这……

不可能！！！

不信的话，你把卷轴完全展开就明白了！

▲ 霍元甲30多岁时，在天津刘捷三照相馆留影。

一代宗师霍元甲

霍元甲是清末的爱国武术家，他的名字在中国可谓家喻户晓。霍元甲继承了家传"迷踪拳"绝技，以武会友，以德服人，威震西洋大力士，并且在上海创办了精武体育会。他短暂而又轰轰烈烈的传奇人生，影响了中国几代人。

霍元甲幼年体弱，父亲怕他坏了武术世家的名头，不让他习武，霍元甲只好在父亲教授兄弟武艺的时候窥探，然后躲在枣林中苦练。他聪明刻苦，武功突飞猛进，远远超过了他的兄弟，父亲知道了，只好悉心传授他武艺。后来霍元甲又融合了众家之长，使祖传绝学达到了新的高峰。

霍元甲最有名的事迹就是为国人摘下了"东亚病夫"这个耻辱的称号，以自己的实力将俄国、英国、日本的武术家打败或者吓跑。在国难当头之际，霍元甲的爱国情操与尚武精神，激励着所有中国人奋起拼搏，保卫自己的家园。

◀ 霍元甲陵园牌坊上的"尚武精神"是孙中山所题的字。

迷踪之谜

霍元甲目睹了西方列强欺辱中国的残暴行径，深感中国过于贫弱，必须全民练武，增强体质。于是他率先打破了霍氏绝技不传外姓人的祖训，开门收外姓人为徒。他将祖传"迷踪拳"加以改造创新，创出"霍氏迷踪艺"。这种拳法注重攻防，讲

▲ "霍氏迷踪艺"的拳谱截图。

究劲力。既有局部运动，也有全身合力运动。拳术套路上吸收各家优点，并突出本身的特点。之后霍元甲又自创了迷踪拳。

后来，霍元甲的传人又将"迷踪艺"易名为"练手拳"，并把"迷踪艺"拳谱改写为七字一句朗朗上口的72式歌诀。从此，"迷踪艺"便以"霍氏练手拳"的名义，在精武体育会大力推广，传播至海内外。

精武体育会

1910年，霍元甲在农劲荪等武术界同仁的协助下，在上海创办了"中国精武体操会"，后改名为"精武体育会"。该会注重普及武术和体育，并采取科学的团体训练法，方便学校加以推广。原本只是单纯以练武强身为目的的民间体育组织，目前已逐渐发展为集文艺、体育、慈善等为一体的综合性民间组织。

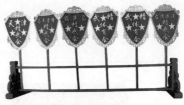

◀ 精武体育分会已遍及世界每个角落，精武弟子近百万人，以继承霍元甲遗志为己任，向全世界展示中华武术的博大精深，弘扬霍元甲的爱国精神。

第七章

此玉非彼玉

歹徒听说你们没拿到迷踪拳谱，非常生气，还寄来了这个！

难道是小甜甜的……

便便啊！！！

哎哟，恶心死了！

秦小玲!

小甜甜有点拉稀,它一定是受了虐待!

也关心我一下啊!

歹徒说再给我最后一次机会,要我找到当年慈禧太后赐给相声演员恩子的玉子!

那不是价值连城的宝物吗?!

怎么了?你是不是不敢比啊?

谁不敢?我只是不想把珍贵的文物交给坏人!

哎哟喂呀！

对不起，我急着去给大亨送报纸，没看见你们！

咦？

你们看！相声大王蒋向生在名流茶馆表演！

报纸上说蒋向生最崇拜相声宗师恩子，或许他知道玉子的下落！

那我们还等什么？

太好了！我好久没听过茶馆相声了。

我还以为相声都是在电视里表演的呢。

唉！有你这样的主人，真是丢脸！

你什么意思？！

你们有谁知道相声起源于哪里吗？

据我所知，相声起源于北京，但是在天津发扬光大！所以到茶馆里听相声是天津人的一大爱好！

说得太对了！亲一个！

呸呸呸！恶心死了！

别闹了！表演开始了！

让我们欢迎蒋向生先生！

今天我先给大家讲个经典段子：《逗你玩》！

121

母亲说："宝宝，妈妈忙去了，咱外边晾着衣服呢。

你看着别让人偷了去，有事就叫我。"宝宝回应道："嗯。

马三立先生是天津相声的代表人物！

是马三立先生的经典段子！

马三立是谁啊？

吵死了！你们安静点！

咣

哎哟喂呀！

胖子，你今天很机灵嘛！

来了一个小偷，问宝宝："几岁啦？"宝宝回答："5岁。"

小偷又问："你叫什么名字啊？"宝宝回答："我叫小虎。"

小偷继续问："你认识我吗？"宝宝回答："不认识。"

小偷拿走了衣服，宝宝大声叫："妈妈，他拿咱家褂子啦！"

小偷说："咱们俩一起玩吧，我姓逗，叫'逗你玩'，你叫我，叫我。"

于是宝宝跟着叫："逗你玩。"小偷说："好，太好啦！"

母亲问："谁啊？"

宝宝说："逗你玩。"母亲没好气地说："好好看着！"

123

小偷接着拿走了裤子，宝宝又大声叫："妈妈，他拿咱家裤子啦！"

母亲不耐烦地回道："谁啊？"宝宝说："逗你玩。"

母亲光火了，斥责道："这孩子！一会我揍你，好好看着，别叫啦！"

小偷又拿走被单子，宝宝大声叫："妈妈，他拿咱家被单子啦！"

母亲大声问："谁啊？"宝宝还是说："逗你玩。"

小偷走后，母亲出来了，边走边说："这孩子，再不老实，我揍你！"

母亲出来后，发现衣物都不见了，问宝宝："咱们的衣服呢？"宝宝说："拿走啦！"母亲追问："谁啊？"

宝宝说："逗你玩。"

哈哈哈哈

谢谢各位！

请蒋爷先到后台休息。接下来，欢迎青年相声组合登场！

我们去找蒋爷吧！

再听一段吧！多好笑啊！

对啊，我瓜子还没嗑够呢！

蒋爷，给我签个名！

我也要，签在我衣服上。

你们有完没完？要签名也不看时候！

果果说得也对。

蒋爷，你先去把手洗干净再来签吧！

蒋爷，是谁把你关进去的？

是一个黑人，还有一个女的，他俩二话不说就把我的玉佩抢走了！

可恶！竟然被狄博士和强尼抢先拿到玉子！

你说什么玉子？

就是你被抢走的那块玉佩啊！

哇哈哈……

我说的话这么好笑吗？

玉子指的是我们相声演员用的竹板啦！

竹板为什么叫作玉子啊？

这其中有一个故事！

快说，快说！我最爱听故事了！

当年恩子被召进宫里为慈禧太后表演。

恩子，你为什么要一边唱一边用手拍大腿？

回老佛爷的话，我是在打拍子呢！

小李子，让人去御花园里锯一副竹板，送给恩子打拍子。

喳！

后来相声演员就把竹板称为"玉子"，也就是"御赐"的谐音。

所以你叫蒋向生也是"讲相声"的谐音啰!

话说回来,咱天津可是曲艺之乡!

不光相声,京东大鼓、太平歌词等等都在这里发扬光大!

蒋爷,那现在这副玉子在哪儿啊?

掉了!

这次不是"逗我玩"吧?

真的掉了!都掉了好多年了!

130

天津的相声艺术

相声是一种流行于北京、天津、河北等地的民间说唱曲艺。扎根于民间，来源于生活，在形成过程中广泛吸取了口技、说书等表演艺术的长处，寓庄于谐，以"说、学、逗、唱"作为艺术表现形式。

"说"是指讲笑话、猜谜语、绕口令等，包括巧妙地说话和铺垫的方式；"学"是指模仿各种人物的声音、鸟兽叫声、叫卖声、唱腔和各地方言等，现在也包括学唱歌和跳舞；"逗"是指互相捧逗，制造一波一波的笑料；"唱"是指唱太平歌词，即用两片竹板伴唱的民间小曲，由莲花落*(lào)的曲调演变而成。

相声按表演人数分，有单口相声、对口相声和群口相声；按照功能分，有讽刺型相声、歌颂型相声和娱乐型相声；按照作品时代分，有传统相声、新相声和当代相声。

哈哈哈！相声好有趣哦！

▲ 单口相声

▲ 对口相声

▲ 男女对口相声

＊ 始于宋朝的江西新干"莲花落"，当地又称"瞎子戏"，是当时盲人乞丐行讨而唱的民间曲艺。

曾经的相声表演场所

摽（liào）地：除了沿街流动卖唱的艺人，相声艺人也在街头、集市等露天空地上用白沙画圈，在圈内卖艺，称"画锅"。艺人常用白沙撒字、唱太平歌词、变戏法、演口技、打撒拉机*，以及靠骂、哭等手段吸引观众，也有搭席棚内设长条凳作为观众席的。这种简陋的场地既可用来表演相声，也可用来表演鼓曲和评书。

堂会：艺人应邀到邀请者的家里演唱，称堂会。常有老人过生日、小孩过满月请堂会，以招待来贺的亲友。

杂耍馆：也称杂耍园子（演艺茶馆），观众可边品茶边观看演出。这种茶馆有各种档次，观众主要是来欣赏艺术的。

▲ ✳撒拉机是一种民间艺术。据说在东汉年间就有了这种表演艺术，可一人表演，也可多人表演。撒拉机形式似快板，以说为主，加上艺术家幽默生动的表演，经常让人捧腹大笑。

相声大师马三立

马三立是天津相声的灵魂人物，也是我国的"相声泰斗"，深受观众的热爱与尊崇。他创立了独具特色的"马派相声"，喜欢用第一人称的方式表演，"我"既是作品中的主人公，又是嘲讽的对象，让自己成为"小市民"的典型，半真半假地"现身说法"，以自嘲的方式说出现代人身上共有的通病，非常的高明，也符合天津人豪爽开朗的性格，让大家在听相声的过程中哈哈一乐，转个身再回味其中的道理。

▲ 马三立(1914–2003)，原名马桂福。

马三立的相声表演雅俗共赏，极其贴近人民生活，这使得他的相声艺术在天津兴盛不衰。

第八章

文珠泉下

喂！米克！你们在哪里？

我们找到玉子的线索了！现在正在去天后宫的路上。

天后宫？那狄博士呢？

狄博士搞错了目标！没有跟来！

哇！太好了！

博士，你怎么了？

没事，你们赶快去吧。

洗衣间在哪儿？

大亨还真爱自拍啊！

怎么有狗叫声？！

房间里好暗。

天后宫到了！

快看！超大号的顶呱呱！

真的！和顶呱呱长得好像哦！

哼！我比它可爱多了！

顶呱呱，人们到这里是来拜祭这头神兽的吗？

你不识字啊？到天后宫当然是来拜祭天后的！

天后是谁啊？

当然是华语天后邓丽君啊！我妈妈最喜欢听她唱歌了！

不对，蔡依林才是天后！

是邓丽君才对！

你们别胡说！这里的天后指的是妈祖！

妈祖又是谁啊？

妈祖是传说中的护航女神！

没错！因为天津的航运特别发达，所以大家都拜妈祖，祈求航运平安。

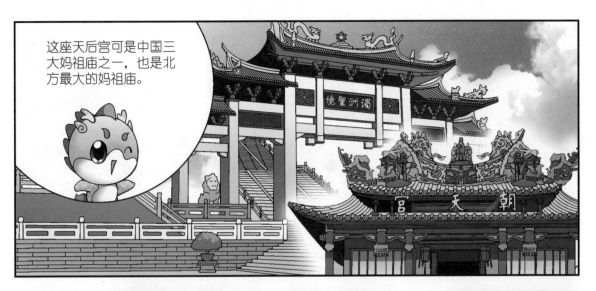

这座天后宫可是中国三大妈祖庙之一，也是北方最大的妈祖庙。

那我们快进去看看！

文珠泉在这儿！

原来是口井啊！

我就知道事情没那么简单！

井里面好暗，真是深不见底啊！

我可不敢下去！

胆小鬼，不就一口井吗！

果果真是女中豪杰！

小心井底下有龙哦！

传说天后宫的井都是海眼，井下有龙，是妈祖镇住了龙，航运才能平安无事！

不把他拉出来，我们也没办法下去找玉子啊！

好吧！

1、2、3！
1、2、3！

YAAAAA……

拜托！这又不是在拔萝卜！

总算拔出来了。

快下去找玉子吧！

亲爱的，请允许我亲吻你的脸颊！

好痒啊！你怎么那么多口水？

啊！

呼！原来是做梦！

小甜甜？！

你不是被绑架了吗？为什么会在地下室？

秦博士，你猜得没错！

大亨！！

我知道了！这都是大亨自导自演的一场戏！

快放我出去！

少安毋躁！等我拿到了我想要的东西，就会放你出去！

你一直挑动我和狄博士比赛，目的就是想得到那副玉子吧？

要怪只能怪你们两个实在太好骗了！哈哈哈哈哈！

强尼！快传球！

快看！狄博士在上面！

这两根旗杆怎么那么高啊？

这可不是旗杆，这是古代的灯塔和航标。

这杆子之所以造那么高，是为了让远处的船都能看见它。这样它就能昼夜为来往天津的船只指明方向。

Catch！（接住！）

好球！

哇！！

啊！从那么高摔下来会摔死的！

快！救人要紧！

可是玉子怎么办？

人命关天，管不了这么多了！

让开！

恭喜你们拿到玉子，看来这是天意！

原来你中文说得这么好！

什么天意啊？是我接到的啦！笨蛋！

走吧！现在是找大亨算账的时候了！

啊！

你到底是谁啊？

路上再跟你们解释！

臭坏蛋！害我人财两空。

天津的宗教

天后宫

天后原本是个普通的渔家女子，名叫林默。传说她死后经常在海上显灵，救助遇险船只，所以被人们奉为圣神，尊称为妈祖。元朝政府对海运漕粮的终点——天津十分重视，为了祈求航海安全，遂尊妈祖为天妃，建天后宫敬奉。每年天后娘娘生日的时候，都会举行"皇会"，表演踩高跷、耍龙灯、跑旱船、舞狮子等，百戏云集，异常热闹。

天后宫在老天津人的生活中还有另外一个重要的意义。那时的新婚女子都会祈求天后娘娘保佑自己早生贵子，并求取一个泥娃娃作为自己的孩子。如果一年里没能生育孩子，就会把之前那个泥娃娃抱到天后宫"洗澡"，也就是换一个更大的泥娃娃，让泥娃娃"长大"一岁。如果之后成功生了孩子，就会尊称那个泥娃娃为"大哥"，自己的孩子排行老二。因此，以前的天津人喜欢尊称人"二爷"，而没有叫"大爷"的，因为"大爷"一般都是泥娃娃"大哥"。

▲ 天津天后宫俗称"娘娘庙"，与福建莆田湄洲妈祖庙、台湾北港朝天宫并列为三大妈祖庙。

独乐寺

千年古刹独乐寺位于蓟县，相传始建于 636 年。山门高约 10 米，正中匾额上的楷书"独乐寺"由明朝权臣严嵩所题，笔触刚劲浑厚。过了山门就是观音阁。观音阁当中的观音像高 16 米，头上还有 10 个小头像，所以被称为"11 面观音"，是我国现存最为高大的彩色泥塑站像。

◀ 观音阁上的"观音之阁"四个大字是唐朝诗人李白题写的。

大悲院

大悲院因供奉大慈大悲观世音菩萨而得名。是天津现存规模最大、历史最为悠久的佛门十方丛林寺院。

▲ 大悲院

寺内原有镇寺之宝——唐代高僧玄奘法师顶骨舍利。1956年应印度政府请求，顶骨被送往印度昔日玄奘法师求法地那烂陀寺遗址供奉，成为中印两国人民友好交往的一段佳话。

大悲院内的大悲殿西侧还有一座"弘一法师纪念堂"。弘一法师是天津人，他在诗文、书法、绘画、音乐、戏剧以及篆刻、金石等方面都有高深的造诣。因功德昭著，他受到海内外僧俗的尊敬和赞扬。

大悲殿东侧的"玄奘法师纪念堂"与西侧的"弘一法师纪念堂"正好对称，堂内展示了"玄奘法师生平业迹""玄奘法师西行求法路线图""玄奘法师译经年代表"以及关于玄奘顶骨的说明资料。

清真大寺

天津清真大寺始建于明代。为一组集中国宫殿式建筑和伊斯兰教建筑为一体的中国古典式建筑群。整体建筑以礼拜殿为主体，南北有讲堂和耳房互相映衬。寺中的两本袖珍本《古兰经》比普通的火柴盒还要小，堪称珍贵文物。

▲ 清真大寺

◀ 清真大寺殿内梁柱上悬挂着61块汉文和阿拉伯文匾额、楹联，是中国保存古代匾额最多的清真寺。

第九章

大亨的真面目

大家辛苦了！玉子拿到了没有啊？

你就别再演戏了！

我的真实身份是国际刑警，已经盯上你这个文物贩子很久了！

我听说你邀请了狄博士，就假装成她的助手来接近你！

你的目的就是要得到这副珍贵的玉子吧！

可恶，本想利用两个博士之间的矛盾让她们为我效力，没想到引来了警察！

既然被你识破了！我就不用跟你们客气了！

现在人赃俱获了，你还不投降？！

开玩笑！好戏才开场呢！

嗨 咕

阿姨！

嘿嘿……

只要你们把玉子交给我，我就把秦博士放了！

休想！我决不向犯罪分子妥协！

这……

求求你救救我阿姨吧！

我数到3，博士就活不成了！

1——

2——

呜呜……

等等！玉子你拿去吧！

我们走！

顶呱呱，闻到什么了吗？

就在附近！

五大道

米克，这里的建筑怎么不太像中国的建筑？

难道……

我们穿越到外国了！

你们想太多了！这里是五大道啦！

五大道是时空转换的通道吗？我们要怎么回到现实世界？！

你们到底有没有听我说话啊？

五大道曾是天津的租界区，也是天津近代建筑艺术的代表。

哦。

五大道有许多西式风格的别墅，很多历史名人都曾经在这里住过！

这些名人一定很有钱！看！有一辆和大亨一模一样的悍马！

笨蛋！那就是大亨的悍马！

哦！

走！我们去要回玉子！

等等，先别打草惊蛇！

老大也真是的，都什么时候了还睡午觉！

放心！这里很隐秘，他们找不到的！

你这个变态！

你说什么？

我什么都没说啊！

难道我幻听了？

你这个死变态！

我看你是活腻了！

你是故意找碴吗？！

我抽你！

我咬你！

玉子在房间里，我这就去拿！

跟紧他，别让他耍花样！

别担心，难道他还能飞了不成！

啊！他把门反锁了！

想抓我？你们这些小鬼还太嫩了！

开门！你这狡猾的家伙！

165

我们马上
就到！

我去阻
止他！

我也
去！

等等！

你干吗？
怕高你就
别去！

你用电脑连上
摩天轮的操作
系统不是更方
便吗？

才说你胖
你就喘！

对啊！我
怎么没想
到呢？

我这种大智
慧不是谁都
有的。

天津的建筑艺术

石家大院

石家大院坐落于天津市杨柳青镇的中心，始建于 1875 年，占地 7200 余平方米，是中国迄今为止保存得最为完好、规模最大的晚清民宅建筑群，有"华北第一宅"的美誉。石家大院是清末"天津八大家"之一的石家的宅第，由宫廷建筑师主持施工，采用王宫、官邸与大户民宅相结合的形式，建筑典雅华贵，砖木石雕精致美观。走入大门，一条大青方砖铺就的长甬道，是大院的中轴线，贯穿了五座门楼。门楼自南向北逐渐升高，寓意"步步高升"。

石家大院共有 12 个院落，院中有院，院中跨院。无论是寝室、客厅、花厅、戏楼、佛堂，还是马厩，处处显露出格局的大气宏伟和艺术装饰的精美绝伦。

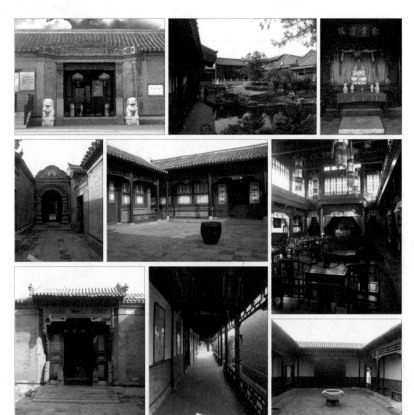

① 正门
② 花园
③ 佛堂
④ 甬道
⑤ 庭院
⑥ 垂花门
⑦ 长廊
⑧ 戏楼
⑨ 回廊

①	②	③
④	⑤	⑧
⑥	⑦	⑨

五大道

　　位于天津市中心南部的"五大道"汇聚了风貌各异的英、德、意、法、西班牙等国建筑230多座，名人住宅50多幢，包括希腊式、哥特式、浪漫主义、文艺复兴式和中西合璧式等，成为名副其实的"万国建筑博览会"。

　　五大道中，最早修筑、最长、最宽的马路是马场道。马场道121号的"达文士楼"，原为英侨学者达文士的住宅。这座西班牙风格的花园别墅，是五大道上最早的建筑。坐落在马场道上的还有北疆博物院和天津工商学院（现为天津外国语大学）。北疆博物院创建于1922年，是中国早期博物馆之一，建筑呈"工"字形，具有罗马建筑风格。天津工商学院建于1921年，主楼三层带地下室，蘑菇石墙面、曼塞尔式瓦顶和圆形大钟，带有强烈的法国浪漫主义建筑风格。

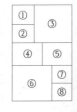

① 清朝庆亲王载振故居，俗称"庆王府"。该建筑建于1922年，为清宫太监小德张所建，为砖木结构二层楼房。

② 吴颂平故居。建于1934年，为奥地利建筑师盖苓设计的砖木结构二层楼房。

③ 奉系军阀张作相故居。该建筑由法国建筑师设计建造，为砖木结构二层楼房，带有西洋古典主义风格。

④ 奉系军阀张作霖三姨太许氏旧居。该建筑建于1926年，为三层砖木结构庭院式建筑，带有19世纪英国浪漫主义建筑的特点。

⑤ "天津八大家"之一——大盐商"李善人"之后李叔福故居。该建筑为三层混合结构楼房，属典型的古典主义风格。

⑥ 颜惠庆故居。颜惠庆曾任国民政府国务总理兼外交总长。该建筑建于1920年，为三层砖混结构楼房，具有古典主义建筑特征。

⑦ 著名爱国将领张学良二弟张学铭故居。该建筑建于1925年，为砖木结构二层楼房。

⑧ 军阀孙殿英故居。该建筑建于1930年，为三层砖木结构楼房，带有折中主义建筑特征。

第十章

天塔危机

糟糕！这次彻底失去大亨的下落了！

呜呜……

别难过，强尼，总有办法解决的！

我不是难过，是刚刚敲墙壁，手好疼。

如果玉子丢了，我的前途也完了！

你干吗？是不是嫉妒我头发多啊？

强尼，你的头发本来就少！我看还是别拔了！

头发！我想起来了！

狄博士为了跟踪你们，在你们每个人头上都放了电虱子追踪器！这种追踪器只要扔到头上，就会紧紧吸附在头发上！

她怀疑大亨会偷偷帮你们的忙，所以连他也没放过！

信号是从这座塔上发出来的!

天津电视塔是世界上唯一一座建在水中的高塔。

大亨在哪里?

电脑显示的位置是在21楼的旋转餐厅。

你是听到"餐厅",想赶快上去吃吧!

呵呵……生我者父母,知我者米克也!

这个大亨真会享受,吃个饭还到旋转餐厅。

那我们还等什么?快上去抓住他!

站住，餐厅已经被我们老板包下了！

我就是要找你们老板！

我们老板交代过，不见任何人！

少跟他们啰唆！看我的平板回旋斩！

啪 啪 啊！

抓住他们！

果果当心！

交给我！

嗒 嗒

强尼好厉害!

保护市民的安全是警察的责任!

强尼,有你在我就放心了!

放心,你们的安全都包在我身上!

现在可不是犯花痴的时候,快上电梯吧!

米克!你说谁花痴?!

257 M 瞭望台

253 M 旋转餐厅

248 M 法式餐厅

啊!

啊!

179

他们在那里！

嗒 嗒 嗒

嗒 嗒

兄弟们，上！

趁他们混战，我们快上去找大亨！

瞭望台

旋转餐厅

法式

旋转餐厅到了！

又是那几个小鬼！

怎么可能？那么多人还拦不住他们！

真讨厌！连吃个饭都不安稳！

还站着发什么呆？快抓住他们！

哼！这是你们自找的！

正好——雪上次小洋楼的奇耻大辱！

懒得听你们啰唆！

嗬！

图书在版编目（CIP）数据

天津寻宝记/孙家裕编著.
-- 南昌：二十一世纪出版社，2012.10
（我的第一本大中华寻宝漫画书）
ISBN 978-7-5391-7980-3

Ⅰ.①天… Ⅱ.①孙… Ⅲ.①旅游指南 – 天津市Ⅳ.①K928.921

中国版本图书馆 CIP 数据核字 (2012) 第 153138 号

天津寻宝记　　编创/孙家裕　　编剧/邬城琪　　漫画/欧昱荣

出 版 人	张秋林
监 制	张 蕾
编辑统筹	陈 菁
责任编辑	陈 沁 杨 颖 陈 菁
色彩设计	郑倩倩 梅育滔 刘春萍
助 理	陈史杰 袁 波 刘颖洁
美术完稿	胡翰林
出 品	上海京鼎动漫科技有限公司 (http://www.jdcartoon.com/)
出版发行	二十一世纪出版社有限责任公司
	（江西省南昌市子安路75号　　330009）
	www.21cccc.com cc21@163.net
承 印	广州一丰印刷有限公司
开 本	787mm×1092mm 1/16
印 张	11.5
版 次	2012 年 10 月 第 1 版
印 次	2012 年 10 月 第 1 次印刷
印 数	1–30 000 册
书 号	ISBN 978-7-5391-7980-3
定 价	25.00 元

赣版权登字 –04—2012—469